Eitftiaid

Stephanie Turnbull

Dylunio gan Laura Parker

Lluniau gan Colin King

Llun y clawr gan Ian Jackson

Lluniau ychwanegol gan Tim Haggerty

Ymgynghorydd yr Aifft: Miriam Bibby

Addasiad Cymraeg: Elin Meek

Cynnwys

Pobl y gorffennol

Gwlad boeth yng ngogledd Affrica yw'r Aifft.
Eifftiaid yw enw'r bobl oedd yn byw yno
filoedd o flynyddoedd 'nôl.

Mae'r llun hwn yn rhan
o hen furlun Eifftaidd.
Mae'n dangos criw
o weision.

Mae lluniau Eifftaidd
yn aml yn dangos
pethau o'r ochr.

Byw ar lan yr afon

Cododd yr Eifftiaid eu trefi a'u dinasoedd ar hyd afon Nîl.

Dyma ffotograff o'r Aifft wedi'i dynnu o'r gofod. Mae'r afon a'u glannau'n wyrdd tywyll.

Y Môr Coch

Afon Nîl———

Diffeithwch sych, llychlyd yw'r rhannau melyn.

Roedd yr Eifftiaid yn pysgota yn yr afon ac yn hwylio cychod arni.

Roedden nhw'n yfed dŵr o'r afon ac yn golchi dillad yno hefyd.

Dyma fodel o gwch gan yr hen Eifftiaid.

Roedd pobl yn nofio yn afon Nîl, ond roedd rhaid gwylio rhag y crocodeilod.

Ffermwyr

Roedd ffermwyr Eifftaidd yn tyfu ffrwythau, llysiau a phlanhigion eraill ar lannau afon Nîl.

Mae'r paentiad Eifftaidd hwn yn dangos ffermwyr yn tynnu'r grawnwin maen nhw wedi'u tyfu.

Roedd ffermwyr yn dysgu mwncïod i dynnu ffrwythau o goed tal a'u taflu i lawr.

Roedd afon Nîl yn gorlifo bob blwyddyn. Felly roedd y tir yn dda i dyfu planhigion.

Wrth i'r tir sychu, roedd planhigion yn tyfu yn yr haul a ffermwyr yn gweithio'n galed yn y caeau.

Roedd ffermwyr yn cadw peth o'r cnydau i'w bwyta ac yn gwerthu'r gweddill yn y farchnad.

Gartref

Roedd yr hen Eifftiaid yn codi tai o fwd wedi sychu ac yn eu paentio'n wyn.

Roedd gan y tai ffenestri bach rhag yr haul poeth.

Roedd pobl yn coginio ac yn crasu bara yn yr awyr agored.

Roedd gan rai pobl bwll dŵr yn eu gardd er mwyn cadw pysgod i'w bwyta.

Roedd Eifftiaid yn cysgu ar welyau pren caled gyda darnau o bren yn lle clustogau.

Yn aml, roedd gweision gan bobl gyfoethog. Mae'r model hwn yn dangos gweision yn crasu bara.

Brenhinoedd yr Aifft

Pharo oedd yr enw ar frenin yr Aifft. Dyma'r person mwyaf cyfoethog a phwysig yn y wlad.

Ef oedd yn trefnu a gwneud cyfreithiau.

Roedd yn arwain milwyr i ymladd gelynion.

Roedd yn mynd i hela yn ei gerbyd.

Hefyd roedd yn cwrdd ag ymwelwyr o dramor.

Roedd pharoaid yn gwisgo coron. Roedd rhai wedi'u haddurno ag aur a gemau.

Dyma lun o Ramesses III. Mae'n gwisgo coron aur a phenwisg hir, streipiog.

Roedd gan y pharo Ramesses II lew anwes i godi ofn ar elynion.

Duwiau a duwiesau

Roedd yr hen Eifftiaid yn credu mewn llawer o dduwiau a duwiesau gwahanol.

Weithiau roedd duwiau Eifftaidd yn edrych fel anifeiliaid. Roedd y dduwies hon, o'r enw Hathor, yn aml yn edrych fel buwch.

Yn y murlun hwn, mae gan Hathor gyrn buwch ar ei choron.

Duwies ryfel ffyrnig oedd Sekhmet.

Duw'r haul oedd Ra.

Roedd Bes yn gofalu am blant a theuluoedd.

Duwies gwirionedd oedd Ma'at.

Roedd Horus yn gofalu am pharoaid.

Ewythr cas Horus oedd Seth.

Roedd Horus a Seth yn elynion. Un tro buon nhw'n ymladd fel hipos ffyrnig.

Temlau

Cododd yr Eifftiaid demlau carreg enfawr i addoli pharoaid a duwiau.

Dyma ddeml Pharo Ramesses II. Mae pob cerflun y tu allan i'r deml ddeg gwaith yn dalach na pherson.

Mewn teml, roedd offeiriaid yn gweddïo ar gerflun duw neu pharo.

Ar adegau arbennig, roedden nhw'n cario cerflun drwy'r dref.

Dyma gerflun o Anubis, duw oedd yn gallu troi'n anifail o'r enw siacal.

Roedd gan rai pobl gerfluniau bach o dduwiau gartref.

Gwneud mymi

Pan fyddai person pwysig yn marw, roedd yr Eifftiaid yn lapio'r corff fel na fyddai'n pydru. Gwneud mymi yw'r enw ar hyn.

1. Rhaid oedd tynnu darnau mewnol y corff i'w rhoi mewn potiau.

2. Yna roedden nhw'n rhoi'r corff mewn halen i'w sychu.

3. Nesaf, roedden nhw'n lapio'r corff yn dynn mewn rhwymau.

4. Yn olaf, roedden nhw'n rhoi masg ar y mymi a'i osod mewn arch.

Roedd yr Eifftiaid yn gwneud mymis anifeiliaid hefyd.

Roedd darnau mewnol y corff yn cael eu cadw mewn potiau a chloriau fel hyn. Mae pen duw ar bob potyn.

Roedd yr arch yn edrych fel person ac roedd swynion a darluniau drosti.

Pyramidiau enfawr

Pan oedd pharo'n marw, byddai ei arch yn cael ei rhoi mewn pyramid carreg enfawr.

Cafodd y pyramidiau hyn eu codi i dri pharo gwahanol. Roedd y pyramidiau bach i'w teuluoedd nhw.

Byddai gweithwyr yn torri blociau carreg ac yn eu llusgo.

Bydden nhw'n tynnu'r blociau i fyny ramp, i'r pyramid.

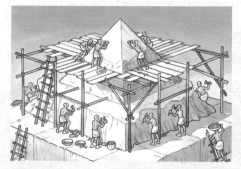

Rhaid oedd gweithio am flynyddoedd cyn rhoi'r garreg olaf yn ei lle.

Yn olaf, byddai angen gwneud y pyramid yn llyfn ac yn sgleiniog.

Beddrodau tanddaearol

Ar ôl nifer o flynyddoedd, rhoddodd yr Eifftiaid y gorau i godi pyramidiau. Roedden nhw'n claddu pobl bwysig mewn beddrodau tanddaearol yn lle hynny.

Yn gyntaf, byddai'r gweithwyr yn cloddio twnnel dwfn i glogwyn creigiog.

Yna, bydden nhw'n adeiladu ystafelloedd a choridorau o dan ddaear.

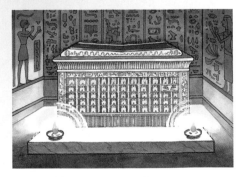

Rhaid oedd peintio waliau'r ystafelloedd a rhoi trysor yno . . .

cyn rhoi'r arch mewn blwch enfawr mewn stafell arbennig.

Dyma feddrod dyn o'r enw Peshedu. Roedd ei arch yn yr ystafell sydd drwy'r bwa hwn.

Roedd lladron yn aml yn ceisio dwyn trysor o feddrodau a phyramidiau.

Trysor cudd

Roedd beddrod y pharo Tutankhamun wedi'i guddio am filoedd o flynyddoedd.

Ym 1922, daeth drws cudd i'r golwg, y tu ôl i greigiau.

Y tu mewn roedd ystafelloedd yn llawn trysor pefriog.

Cymerodd hi ddeng mlynedd i glirio'r beddrod a rhestru'r trysorau i gyd.

Yr hebog hwn oedd un o nifer o gerfluniau hardd yn y beddrod.

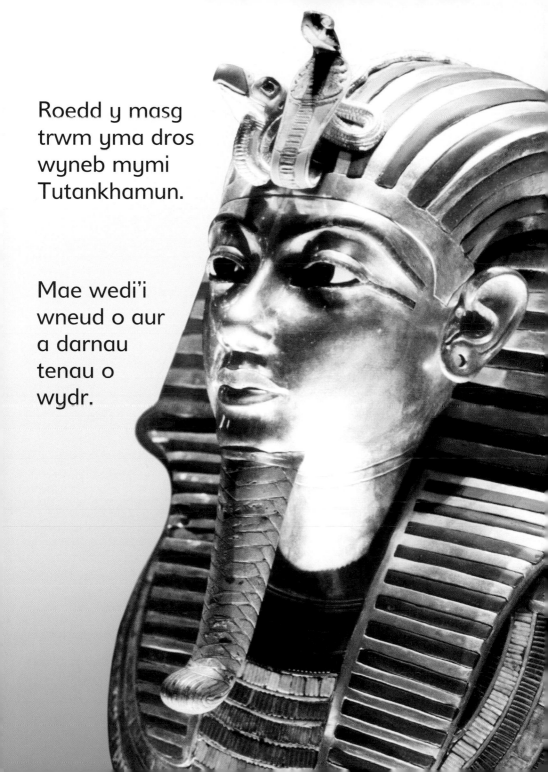

Roedd y masg
trwm yma dros
wyneb mymi
Tutankhamun.

Mae wedi'i
wneud o aur
a darnau
tenau o
wydr.

Hwyl a sbri

Roedd yr Eifftiaid yn hoffi chwaraeon a gemau, cerddoriaeth, dawnsio a phartïon.

Roedd rhai pobl yn dysgu canu offerynnau, fel y delyn hon.

Roedd dynion yn hoffi cael gornest gychod ar afon Nîl.

Y tîm oedd yn gwthio'r cwch arall i'r afon oedd yn ennill.

Mae'r paentiad hwn
yn dangos dyn yn hela
gyda'i deulu. Mae e'n
sefyll ar gwch ac yn taflu
brigyn at adar.

Mewn partïon,
roedd pobl yn
mwynhau gwylio
dawnswyr.

Gwisgo'n smart

Roedd yr Eifftiaid yn hoffi edrych yn dda. Roedden nhw'n gwisgo dillad syml, llaes a llawer o emau.

Mae'r dorch lydan aur hon yn edrych fel aderyn. Cafodd ei gwneud i pharo.

Roedd pobl yn arfer rhoi braster persawrus ar eu pennau. Wrth iddo doddi, roedden nhw'n persawru.

Gwisgai dynion a menywod sgertiau a ffrogiau llac, ysgafn i'w cadw'n oer.

Roedden nhw'n addurno'r dillad â modrwyau, mwclis, breichledau a gemau.

Roedd pawb yn gwisgo colur hefyd, gan roi llawer o baent tywyll am eu llygaid.

Roedd pobl yn eillio eu pennau i gadw'n oer. Roedd oedolion yn gwisgo wig.

Ysgrifen Eifftaidd

Roedd ysgrifen Eifftaidd yn cynnwys llawer o luniau o'r enw hieroglyffau.

Roedd pobl o'r enw ysgrifenyddion yn gallu darllen ac ysgrifennu hieroglyffau. Cerflun o ysgrifennydd yw hwn.

Roedd ysgrifennydd yn ysgrifennu llythyrau a chadw cofnodion.

Hefyd roedd e'n dysgu plant i ddarllen ac ysgrifennu.

Cafodd yr hieroglyffau hyn eu peintio ar feddrod.
Swynion ydyn nhw i warchod person marw.

Doedd gan bobl gyffredin ddim
syniad beth oedd ystyr
hieroglyffau.

Geirfa Eifftaidd

Dyma rai o'r geiriau yn y llyfr hwn sy'n newydd i ti, efallai. Mae'r dudalen hon yn rhoi'r ystyr i ti.

 pharo – enw roedd yr hen Eifftiaid yn ei roi i'w brenin.

 teml – man lle roedd Eifftiaid yn mynd i addoli duwiau a pharoaid wedi marw.

 offeiriad – person oedd yn gweithio mewn teml. Roedden nhw'n gweddïo ar gerfluniau.

 mymi – corff wedi'i sychu i wneud iddo bara am nifer o flynyddoedd.

 beddrod – man o dan ddaear lle roedd person yn cael ei gladdu.

 ysgrifennydd – swydd y person hwn oedd darllen ac ysgrifennu.

 hieroglyffau – llun neu symbol. Roedd Eifftiaid yn ysgrifennu gan ddefnyddio hieroglyffau.

Gwefannau diddorol

Mae llawer o wefannau diddorol i ymweld â nhw i ddysgu rhagor am yr hen Eifftiaid.

I ymweld â'r gwefannau hyn, cer i **www.usborne-quicklinks.com**.
Darllena ganllawiau diogelwch y Rhyngrwyd, ac yna teipia'r geiriau allweddol **"beginners egyptians"**.

Caiff y gwefannau hyn eu hadolygu'n gyson a chaiff y dolenni yn 'Usborne Quicklinks' eu diweddaru. Fodd bynnag, nid yw Usborne Publishing yn gyfrifol, ac nid yw chwaith yn derbyn atebolrwydd, am gynnwys neu argaeledd unrhyw wefan ac eithrio'i wefan ei hun. Rydym yn argymell i chi oruchwylio plant pan fyddant ar y Rhyngrwyd.

Mae'r ffotograff yma'n dangos Sffincs Mawr Giza a gafodd ei adeiladu gan yr hen Eifftiaid. Mae ganddo gorff llew a phen dyn.

Mynegai

Cydnabyddiaeth

Gyda diolch i Emma Julings

Lluniau

Mae'r cyhoeddwyr yn ddiolchgar i'r canlynol am yr hawl i atgynhyrchu eu deunydd:
ⓑ **Alamy** 18-19, 31 (Brian Lawrence); ⓑ **Tha Ancient Art and Architechture Collection Ltd** 12;
ⓑ **The Art Archive** 17b (Musée du Louvre/ParisDagli Orti); ⓑ **Copyright The British Museum** 5, 17t, 24; ⓑ **Corbis** 2-3, 6, 9, 21 (Gianni Dagli Orti), 1, 14, 22 (Sandro Vannini), 25 (Archivo Iconografico, S.A.), 26 (Bettman), 28 (Roger Wood), 29 (Wolfgang Kaehler); ⓑ **Digital Vision** clawr cefn;
ⓑ **Getty Images** 14 (Richard Passmore), 23 (Alvix Upitis); **Heritage Images** 11 (The British Library); ⓑ **NASA** 4 (Jacques Descloitres, MODIS Land Science Team).

Cyhoeddwyd gyda chefnogaeth Llywodraeth Cynulliad Cymru.

Cyhoeddwyd gyntaf yn 2004 gan Usborne Publishing Ltd., Usborne House, 83-85 Saffron Hill, Llundain EC1N 8RT.
Cyhoeddwyd gyntaf yng Nghymru yn 2010 gan Wasg Gomer, Llandysul, Ceredigion, SA44 4JL.
www.gomer.co.uk
Cedwir pob hawl. Argraffwyd yn China.

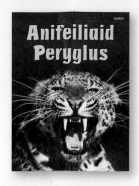

Anifeiliaid Peryglus

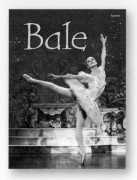

Bale

Byw yn y gofod

Ceffylau a Merlod

Celtiaid

Coedwigoedd glaw

Cŵn

Deinosoriaid

Dy Gorff

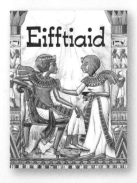

Eifftiaid